Sylvain Landry

Sudoku 2

Catalogage avant publication de Bibliothèque et Archives Canada

Landry, Sylvain

Sudoku 2 : apprendre à jouer: 100 grilles de jeu pour tous les niveaux

1. Sudoku. 2. Jeux mathématiques.
3. Casse-tête logiques. I. Titre.

QA95.L36 2005 793.74 C2005-941792-7

DISTRIBUTEURS EXCLUSIFS :

• Pour le Canada et les États-Unis :
MESSAGERIES ADP*
955, rue Amherst
Montréal, Québec H2L 3K4
Tél. : (514) 523-1182
Télécopieur : (450) 674-6237
* Filiale de Sogides ltée

• Pour la France et les autres pays :
INTERFORUM
Immeuble Paryseine, 3, Allée de la Seine
94854 Ivry Cedex
Tél. : 01 49 59 11 89/91
Télécopieur : 01 49 59 11 33
Commandes : Tél. : 02 38 32 71 00
Télécopieur : 02 38 32 71 28

• Pour la Suisse :
INTERFORUM SUISSE
Case postale 69 - 1701 Fribourg - Suisse
Tél. : (41-26) 460-80-60
Télécopieur : (41-26) 460-80-68
Internet : www.havas.ch
Email : office@havas.ch
DISTRIBUTION : OLF SA
Z.I. 3, Corminbœuf
Case postale 1061
CH-1701 FRIBOURG
Commandes : Tél. : (41-26) 467-53-33
Télécopieur : (41-26) 467-54-66
Email : commande@ofl.ch

• Pour la Belgique et le Luxembourg :
INTERFORUM BENELUX
Boulevard de l'Europe 117
B-1301 Wavre
Tél. : (010) 42-03-20
Télécopieur : (010) 41-20-24
http ://www.vups.be
Email : info@vups.be

Gouvernement du Québec – Programme de crédit d'impôt pour l'édition de livres – Gestion SODEC – www.sodec.gouv.qc.ca

L'Éditeur bénéficie du soutien de la Société de développement des entreprises culturelles du Québec pour son programme d'édition.

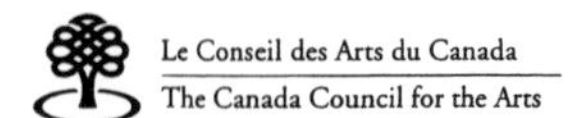

Nous remercions le Conseil des Arts du Canada de l'aide accordée à notre programme de publication.

Nous reconnaissons l'aide financière du gouvernement du Canada par l'entremise du Programme d'aide au développement de l'industrie de l'édition (PADIÉ) pour nos activités d'édition.

02-06

Dépôt légal : 4e trimestre 2005
Bibliothèque nationale du Québec

ISBN 2-7619-2237-9

Pour en savoir davantage sur nos publications, visitez notre site : **www.edhomme.com**
Autres sites à visiter : www.edjour.com
www.edtypo.com • www.edvlb.com
www.edhexagone.com • www.edutilis.com

Table des matières

Introduction

Le sudoku est un jeu composé simplement d'une grille carrée de 81 cases, où sont éparpillés des chiffres de 1 à 9. La grille est aussi divisée en carrés comprenant neuf cases (3 x 3 cases), délimités par un trait plus foncé. Le but du jeu consiste à remplir chaque case vide de la grille par un chiffre de 1 à 9, de façon qu'aucun ne se répète à l'intérieur d'une région (rangée, colonne ou carré). Ces chiffres sont obtenus par déduction logique à partir des indices de départ.

Le mot japonais sudoku signifie « chiffre unique ». La seule règle du jeu est très simple, mais la résolution de ce casse-tête peut néanmoins s'avérer très complexe.

« Logique sans bon sens : une catastrophe. »

– Auguste Detoeuf

Introduction

À l'instar des mots croisés, le sudoku a envahi les grands quotidiens du monde entier.

À l'instar des mots croisés, le sudoku a envahi les grands quotidiens du monde entier depuis que le *Times* de Londres en a publié une grille le 12 novembre 2004. *Le Figaro,* en France, ainsi que *La Presse* et *Le Devoir,* au Québec, publient maintenant des grilles de sudoku dans leurs pages.

On remarque de plus en plus de mordus de sudoku dans les cafés, les bus, le métro, les trains, à la plage et j'en passe ! Mes deux enfants, âgés respectivement de huit et neuf ans, aiment également résoudre un sudoku à l'occasion. Avec des grilles simples et quelques astuces, les enfants y prennent goût facilement.

La frénésie du sudoku vous envahit, vous aussi ? Allez-y ! Voici cent grilles de nature à rassasier votre appétit pour les chiffres cachés ! Les grilles de sudoku de ce livre présentent six niveaux de difficulté, allant de très faciles à honnêtement trop difficiles : démoniaques ! Le niveau dépend de la quantité et de la position relative des chiffres déjà placés çà et là dans la grille. De plus, n'ayez crainte : chaque grille ne comporte qu'une seule solution, présentée à la fin de ce livre.

En général, moins il y a de chiffres, plus le casse-tête est difficile.

Introduction

Voici une grille de sudoku. Elle contient 9 rangées, 9 colonnes et 9 carrés de 3 x 3 cases, plus quelques chiffres.

6				3		5	1	7
		1			5			8
	7			6	2		9	
				2		4		
			6	5	8			
5	1				4	6	2	3
3				9			5	
1		2			3		4	
		7		1				

Le mot japonais sudoku signifie « chiffre unique ». Il se prononce sou-do-kou.

Le sudoku est un jeu simple : il n'y a qu'une seule règle à respecter : placer le bon chiffre au bon endroit.

Quelques astuces et méthodes de déduction

La lecture de ce chapitre est facultative, au début tout au moins ! En effet, rien ne vous empêche de vous mettre immédiatement au sudoku. Allez-y, vous pourrez toujours revenir à ce chapitre plus tard... après vous être cassé les méninges sur les grilles plus difficiles !

Pour commencer, je vous présente quatre méthodes déductives faciles à appliquer. Ensuite, j'aborde des méthodes plus sophistiquées basées sur les chiffres candidats, c'est-à-dire les possibilités pour une case donnée. Finalement, j'explique comment venir à bout des grilles qui semblent impossibles à résoudre. Chaque méthode est accompagnée d'un exemple. Il est à noter que, sur ces grilles, la

Examinez les régions (rangée, colonne ou carré) qui contiennent beaucoup de chiffres.

zone en gris ne fait pas partie de la résolution du problème présenté.

Méthodes élémentaires pour les enfants, petits et grands !

Déduction simple sur une région

Commençons par une méthode très facile. Examinez les régions (rangée, colonne ou carré) qui contiennent beaucoup de chiffres. Parfois, il ne manque qu'un seul chiffre, surtout lorsque vous arrivez à la fin du jeu. Posez-vous la question : est-ce le chiffre 1 ? Sinon, continuez avec le 2, le 3, etc., jusqu'à ce que vous trouviez le bon.

Voici un sudoku que l'on résout grâce à cette déduction très simple. Sur cette rangée, quel est le chiffre manquant ?

2	3	4	5		7	6	1	8

Il va de soi que c'est le 9. Trop facile ? Attendez de voir la suite !

Déduction croisée sur deux régions

Regardez la première rangée de la grille tronquée suivante :

4	5	6	2		7	8	9	1
			4					
			1					
			3					
			6					

Deux cases sont libres à la première rangée. Il est facile de déterminer que ce sont les chiffres 2 et 3 qui manquent dans la séquence, mais où les caser ? L'observation des colonnes et des carrés avoisinants nous guide vers la solution. Dans le cas

L'observation des colonnes et des carrés avoisinants nous guide vers la solution.

qui nous occupe, l'examen de la quatrième colonne permet de déterminer qu'il faut y placer le 2, puisqu'il y a déjà un 3 et qu'il ne peut y avoir deux chiffres identiques dans une colonne. Il suffit ensuite de placer le 3 dans la case vide et le tour est joué !

Déduction croisée sur trois régions

Observez bien la grille suivante. Par déduction logique portant sur cet ensemble, il est possible de trouver l'emplacement du chiffre 9. En effet, si on considère le premier carré, on constate que la première case (en haut, à gauche) ne peut contenir que les chiffres 1, 3, 8 ou 9, qui en sont absents. En examinant la première rangée, on peut éliminer les chiffres 3 et 8 qui, eux, y sont présents. Ensuite, l'observation de la première colonne correspondante nous permet d'éliminer le 1. Il ne reste plus que le 9.

SUDOKU 2

Quelques astuces et méthodes de déduction

9	7		3	8	4			
6	4	5						
2								
1								
4								
7								

Par déduction logique portant sur cet ensemble, il est possible de trouver l'emplacement du chiffre 9.

SUDOKU 2

Quelques astuces et méthodes de déduction

Déduction de la case au travers du carré

Le troisième carré de la grille tronquée ci-dessous contient cinq cases vides où l'on doit placer les chiffres manquants : 1, 6, 7, 8 et 9. On peut toutefois déjà déterminer la place du chiffre 1, car il est présent dans les première et deuxième rangées. Et comme il ne peut y avoir deux fois le même chiffre dans une rangée, il se trouve nécessairement à la troisième rangée dans la seule case libre.

1						4		
			1				5	
						2	1	3

« La meilleure façon d'apprendre est de résoudre des problèmes. »

– Arthur Koestler

Méthodes plus sophistiquées

Après avoir essayé les méthodes élémentaires précédentes, votre grille sudoku est toujours aussi désolante : il reste encore des cases vides ! Vous devez prendre les grands moyens : écrire les chiffres candidats, c'est-à-dire les possibilités, dans chacune des cases vides. Vous pourrez ensuite, je l'espère pour vous, déduire les chiffres mystérieux grâce à quelques méthodes éliminatoires.

Inscription des chiffres candidats

Inscrivez en petits caractères les chiffres candidats en haut ou en bas de chacune des cases vides, complétant la colonne, la rangée ou le carré où vous vous trouvez. Effacez ou rayez les chiffres au fur et à mesure que vous trouvez leur emplacement dans la grille. Cette méthode permet également de visualiser des situations de déduction simple ou plus complexe. La grille suivante vous indique comment noter les chiffres candidats.

Effacez ou rayez les chiffres au fur et à mesure que vous trouvez leur emplacement dans la grille.

SUDOKU 2

Quelques astuces et méthodes de déduction

Comment noter les candidats dans la grille sudoku

3	456	1	2	46	9	7	45	8
8	46	7	1	46	5	3	2 24	9
2	459	459	7 7	3	8 8	1 14	45	6
7	8	3	5	9 9	4	6	1	2
1469	1469	2	679	679	7	5	4789	37
1469	14569	4569	8	12679	3	4	479	7
5	26	8	3	27	1	9	267	4
19	7	9	4	2589	6	128	3	15
1469	123469	469	79	25789	278	128	25678	157

«Avant que d'écrire, apprenez à penser.»

– Nicolas Boileau

SUDOKU 2

Quelques astuces et méthodes de déduction

Les situations suivantes vont se présenter :

Candidat unique : Si un seul candidat est inscrit dans une case, c'est le bon ; il faut l'écrire normalement et ne plus y toucher. C'est le cas du 7 dans le deuxième carré de la grille précédente.

Case unique : S'il y a deux candidats ou plus pour une case, mais que l'un d'eux ne va nulle part ailleurs dans sa colonne, sa rangée ou son carré, c'est automatiquement la seule case pour ce candidat. C'est le cas pour les chiffres 1 et 2 dans le troisième carré de l'exemple précédent.

Cases réservées à un chiffre : On peut parfois éliminer des chiffres candidats par déduction. Dans la grille tronquée suivante, le premier carré doit nécessairement contenir le chiffre 2. On peut donc en déduire que ce chiffre ne peut pas être candidat dans d'autres cases de la première rangée, ce qui

« Même erronés les chiffres sont signe d'exactitude. »

– Jean-Claude Clari

nous permet de résoudre la quatrième case de la première rangée: il ne reste plus que le chiffre 4 comme candidat!

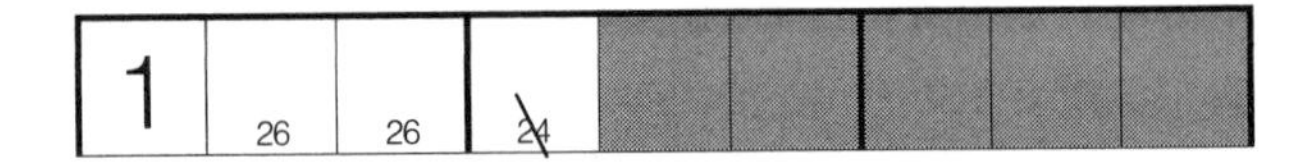

Voyons un exemple plus complexe. Lorsque des chiffres candidats se retrouvent dans deux listes ou plus d'une même région, on peut parfois effectuer une déduction par élimination. Observons, dans la grille suivante, le carré inférieur droit. Par déduction simple, le 2 doit nécessairement être situé dans la dernière colonne de ce carré. Cela permet d'éliminer le chiffre 2 des autres listes de candidats de cette même colonne. Et puisque le candidat 2 apparaît maintenant uniquement dans une case du carré supérieur droit, on peut affirmer sans se tromper que c'est la bonne case pour ce chiffre, puisqu'il

« Un couple change de logique lorsqu'il passe de la verticale à l'horizontale. »

– Alphonse Allais

n'est présent que dans une case. Il ne reste plus que les duos « 59 » à solutionner plus tard.

«Rien n'est aussi trompeur que les faits, si ce n'est les chiffres.»

– Conning

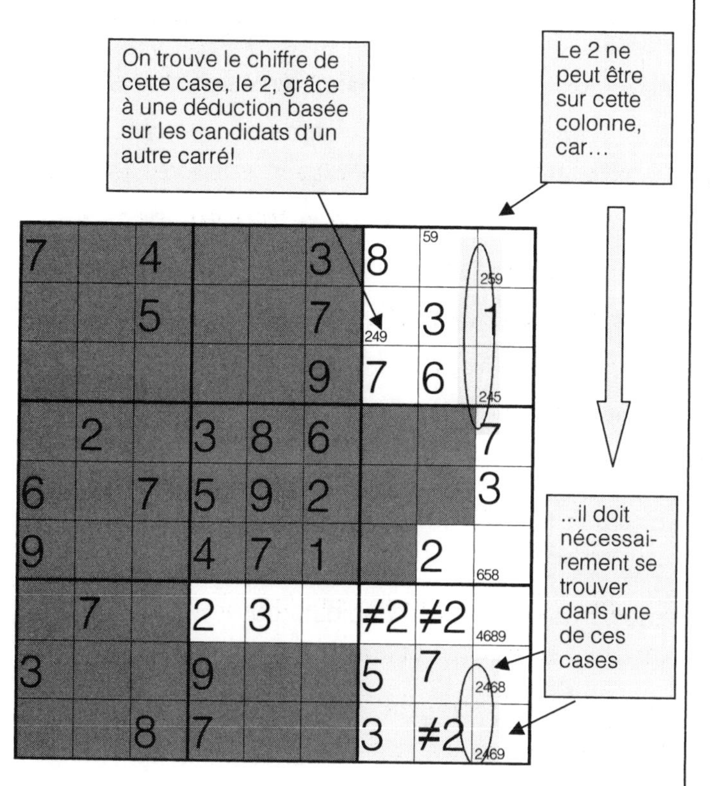

SUDOKU 2

Quelques astuces et méthodes de déduction

Exclusion avec duo: Lorsque deux cases d'une même région ont des listes de candidats identiques, comme dans la grille suivante, nous pouvons retirer ces chiffres des autres listes de candidats de cette région, car ils occuperont obligatoirement l'une de ces deux cases. On doit éliminer les chiffres en trop: il ne peut y avoir plus de chiffres que de cases!

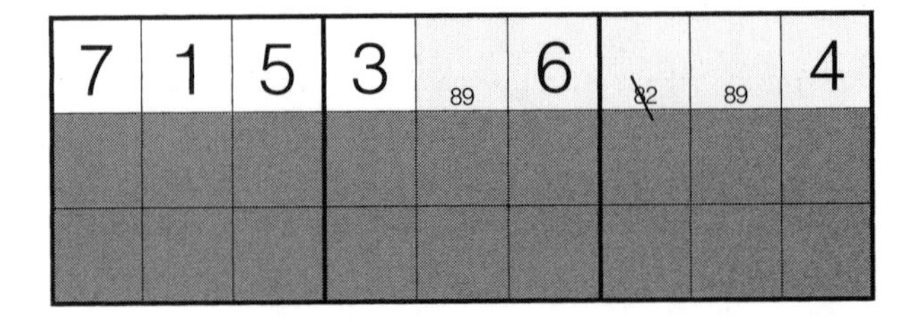

«Il est toujours aisé d'être logique. Il est presque impossible d'être logique jusqu'au bout.»

– Albert Camus

Exclusion par triplet de cases: Lorsque trois cases d'une même région ont des listes comportant au moins deux ou trois candidats communs, nous pouvons retirer ces trois chiffres des autres listes de candidats de cette région. Dans l'exemple suivant, les cinquième, huitième et neuvième cases de la rangée forment un triplet avec les listes de candidats 56, 56 et 567. Ces trois cases doivent donc nécessairement utiliser les trois chiffres 5, 6 et 7 entre elles. Notez que cette observation nous permet de solutionner la dernière case de la rangée : c'est le 7, puisqu'il n'est pas dans les autres listes de candidats du triplet. Toutefois, l'important avec l'exclusion par triplet, c'est d'effacer ou de rayer les chiffres candidats des cases formant un triplet (les chiffres 5, 6 et 7 dans l'exemple) des autres listes de candidats de la même région. Cela nous permet, dans l'exemple suivant, d'effacer ou de rayer le chiffre 7 des troisième et septième cases. Il en découle que les chiffres 3 et 2 sont ensuite solutionnés !

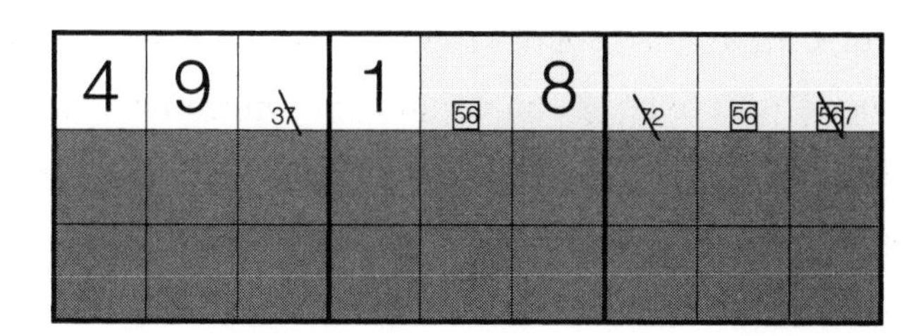

Exclusion générale: Lorsque N cases d'une même région ont les mêmes N candidats, nous pouvons effacer les autres chiffres de ces listes de chiffres et ensuite déduire un ou des chiffres des autres cases.

Un exemple vaut mille mots:

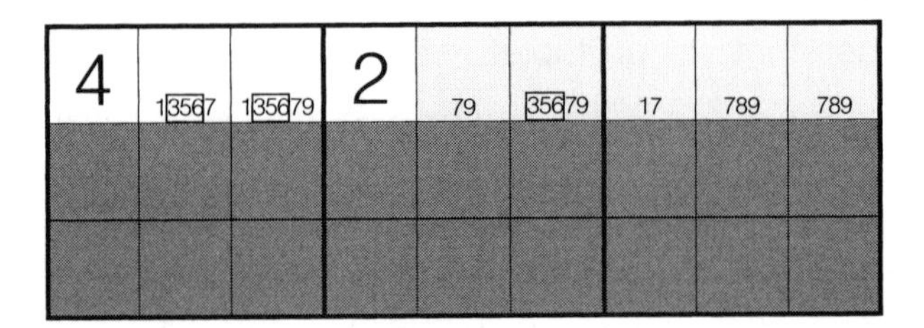

Les deuxième, troisième et sixième cases de la première rangée contiennent les trois candidats: 3, 5 et 6. De plus, aucune autre case de la première rangée ne contient ces candidats. On peut déduire que ces trois chiffres vont nécessairement dans ces trois cases et éliminer les autres candidats de ces cases. Ainsi, nous pouvons éliminer les chiffres

1 et 7 de la deuxième case, les chiffres 1, 7 et 9 de la troisième case et les chiffres 7 et 9 de la sixième case. Cela permet par ailleurs de déterminer que le 1 va dans la septième case, puisque c'est l'unique case de la rangée où l'on peut laisser ce candidat.

Impasse

Il arrive que les méthodes précédentes semblent inefficaces, notamment pour les grilles démoniaques (n°s 91 à 100). Vous devrez alors recourir à la bonne vieille méthode du « tâtonnement ».

Trouvez une case vide avec seulement deux candidats susceptibles de vous aider à solutionner d'autres cases. Choisissez un des deux, puis enclenchez une suite de déductions sur les autres cases. Notez bien votre point de départ et les écritures subséquentes au cas où il y aurait une autre impasse !

Un dernier conseil: jouez souvent!

Je vous déconseille de vous aventurer dans un labyrinthe de possibilités ! Vous pouvez utiliser des crayons de couleur afin de voir le chemin parcouru après votre « devinette ». Vous pouvez également photocopier ou transcrire la grille, avec tous les chiffres trouvés, afin de pouvoir revenir en arrière si le chiffre que vous avez choisi n'est pas le bon ! Attention : vous devez ensuite vérifier si votre choix rend le sudoku impossible à résoudre !

Dans ce cas, une des situations suivantes se présentera après la mise à jour des chiffres candidats pour toute la grille :

- une case sera vide sans aucun chiffre candidat ;
- trois cases auront des listes identiques de deux chiffres ;
- quatre cases auront des listes identiques de deux ou trois chiffres ;
- un chiffre sera manquant dans une région sans être dans aucune des listes de candidats de cette région.

Il vous faudra alors revenir à la case « départ » et reprendre vos déductions, cette fois avec l'autre chiffre. Cette astuce vous permettra de continuer jusqu'à la fin, sauf si vous devez résoudre d'autres « devinettes » ou que vous avez fait une ou des erreurs de logique. Dans le premier cas, persévérez. Dans le second cas, recommencez au tout début.

Un dernier conseil : jouez souvent ! Comme pour le poker, les échecs et tous les sports et loisirs, il faut jouer et s'entraîner durant de nombreuses heures. La maîtrise des subtilités du jeu et la dextérité s'acquièrent surtout avec l'expérience. Amusez-vous bien !

« Ne crois pas que tu t'es trompé de route, quand tu n'es pas allé assez loin. »

– Claude Aveline

SUDOKU 2

Niveau très facile

grille 1

8	5			1		6		4
3			5		7	9		
2		7	9		4		8	
5				3				6
		1		2				
9		4	6	5			2	3
				7	3	5	9	1
		3	1	4	5			8
1	2					4	3	

SUDOKU 2

Niveau très facile

grille 2

<table>
<tr><td>2</td><td></td><td></td><td>9</td><td></td><td></td><td></td><td></td><td>8</td></tr>
<tr><td></td><td></td><td>3</td><td></td><td></td><td>1</td><td></td><td></td><td></td></tr>
<tr><td>7</td><td></td><td></td><td></td><td>6</td><td>2</td><td>3</td><td>1</td><td>4</td></tr>
<tr><td></td><td></td><td></td><td>1</td><td>4</td><td></td><td>9</td><td></td><td>5</td></tr>
<tr><td></td><td></td><td>9</td><td></td><td>5</td><td>6</td><td></td><td>7</td><td></td></tr>
<tr><td>6</td><td></td><td>1</td><td>8</td><td>7</td><td>9</td><td>4</td><td>2</td><td></td></tr>
<tr><td>3</td><td></td><td></td><td>7</td><td></td><td></td><td>1</td><td></td><td></td></tr>
<tr><td>1</td><td></td><td>5</td><td>3</td><td></td><td></td><td>2</td><td></td><td></td></tr>
<tr><td>9</td><td>4</td><td></td><td>6</td><td>1</td><td></td><td></td><td></td><td>7</td></tr>
</table>

SUDOKU 2

Niveau très facile

grille 7

6	3		9	5	1	4		2
4	1		2				7	
				7		9		3
		5						8
		1	8	6	7	2		
8				1			3	9
5	4	2		8		6		
9			7					
	7					8	5	

SUDOKU 2

Niveau très facile

grille 8

	8		4	3	1	7		
	1			5				6
	3	7	9	2		5		
		8		1		2	7	
			2				5	9
6	4	2					8	
8	2	5		9		3	6	
7	9		3				4	
3	6	4			5	9		1

SUDOKU 2

Niveau très facile

grille 9

8	6			7			3	2
		3	2					1
2						1	9	
	4	5	3		6		2	
	1				7			
7		2		8	3	6		
4	8	6	1	5	9	2		
	9	1		6	2	4	8	

Niveau très facile

grille 10

1		6			5	2	9	7
9	2	4					8	
			9			4		
			5	7			6	4
	4		6					8
	9	3						
	5		8				3	2
8	3		4					
					9			5

SUDOKU 2

Niveau très facile

grille 11

	6				4		5	3
3		4	2		1		6	
		2		6			4	
		8	5				1	9
2			4					
6			9	3		4	7	
9		6		7				
	1	5				8		
8					3	6	9	

SUDOKU 2

Niveau très facile

grille 12

	7		9	3				4
			4				2	
	5	1	7	8			9	6
8					9			
		3	6	2	1			
				4				9
	6	9	5	7	4	1	8	
		4			3	9	7	
7			1				6	2

SUDOKU 2

Niveau facile

grille 13

6								
			5		4			8
	7	4		2	6	9		
			4		8			
	4	5		6			7	
7	9					4		2
5	6	2	3	1				
			9		5			3
4	3		6					

Niveau facile

grille 14

		9	3	5	8			6
5				1		3	8	
	1					4		2
	8		7			2		1
2	3	1					9	
			6					
				3				
	6				4	9	7	
					9		2	5

SUDOKU 2

Niveau facile

grille 15

2			4	7			5	
5			2		9		7	8
	6		5	8			1	
	9	8			1	4		
		3						
		7		4	5	3	6	
9		5						
	7		9					
		2	3	6				7

SUDOKU 2

Niveau facile

grille 16

	7		8	6	3		4	5
4						7		
			7			2	6	
7	2	3	4					6
				9	2		1	
	6							
					5	8		
5	3				6	9		4
		4	1					

SUDOKU 2

Niveau facile

grille 17

1			4		2	8		9
		3						
7				5				1
				1				
3		8	2					
		9		3	8	2		
				2		9	6	3
	2	7	8			1	5	
4			1	9				

SUDOKU 2

Niveau facile

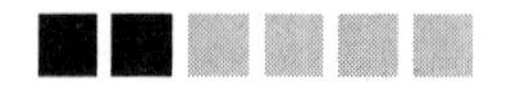

grille 18

					4	3		7
			9				2	
1	8	9		2				
	1						6	
	7					2		
	5	8						9
		2	3					8
	6	4		1	8			
					6			5

grille 19

3		5	2					
7	9	1				2		
	2	8		6		3	7	1
	1	4			2			
						5		
	7			4			8	
9			6		7	8		
		6	1	2	9		4	
	3		4					

SUDOKU 2

Niveau facile

grille 20

7	3		2	1	4			9
2	8	1		3			6	7
9								
	9			8	2	3		1
3		8					9	
							7	6
			3	4	5			
			6	9				5
			8	2				3

SUDOKU 2

Niveau facile

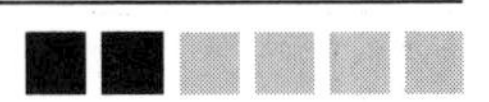

grille 21

		9	2	6		4		
			8	3				1
8	6		4	5		2	3	9
4	9		7		5	8		
			1			5		3
		7	3				2	
7	5	2						
			9			6	5	

SUDOKU 2

Niveau facile

grille 22

	7		5	1			6	
8			4			3	5	
9								4
	4			3		2		
		3	6	2	7			
	8						3	
5	9							
4								6
2	3			4		8	1	9

SUDOKU 2

Niveau facile

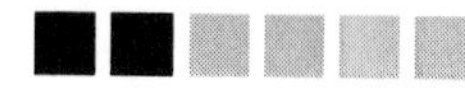

grille 23

	2				8	5		
8				2				4
7			6					
3		2	7			6		
			1	9	5			3
9					3		7	5
2	4		8					
			3		6			
	1	3	5		2	8		9

Niveau facile

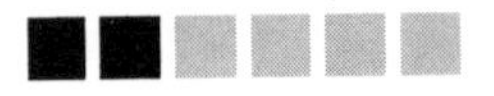

grille 24

9				6		4	7	1
8			1				5	6
		4	5		9	2		
			8					2
			9	3		7		5
4	1	3			2	6	8	
	7		2		3			
				8	7			
		2						

SUDOKU 2

Niveau moyen

grille 25

9	4		5	1	3	7		
		7	6			1		
		5			7	3	8	9
4	2	3						
				3			5	8
					8		1	
	8	1	9	4	2		7	3
3	6	2		5				4

SUDOKU 2

Niveau moyen

grille 26

	2	4	9					
		1						
	8			6				9
	6		4	5			3	
					2			
				1			6	7
1	3						7	8
7	5	9	2	4	8	3		
8			7			5		

SUDOKU 2

Niveau moyen

grille 27

7	1		3				9	
5								
9			8	1			6	4
2	9	3	4			1	5	
4	7			2				
				3				
		7			3	2		6
					8			5
1			2	4		7	3	

SUDOKU 2

Niveau moyen

grille 28

3	1		9		5			4
		6	4					9
9				2			5	8
	7	4	5	3	2	8		
2				1			6	
			6					
4		1	2					
8	9							7
	6	5	8		9	1		2

SUDOKU 2

Niveau moyen

grille 29

			1					8
		9				6		
	6		2		3	5		
1	3	8				7	4	
		6	4		7			2
	2	4	3					1
								9
9					6			
8		7	9	2	5	1		

SUDOKU 2

Niveau moyen

grille 30

						9		6
4							3	
9	8	1	6			5		4
	9			7			1	8
	6			2			4	
	7	2	8					
	2	3	9	6				
						8		
5	1			4		6		7

grille 31

	4			3	5		7	
	5		2		1			
2			9			1	3	
				5	6			
3			8		4	6	1	
7			1				8	
	8		3			4	2	
	3				2			
		9				3	6	

SUDOKU 2

Niveau moyen

grille 32

2	1	3	4					
				3	6			
								2
	2	4	3					7
3				5	4	2		
8	5	9	7	1		6		
4		7	1	6	5			
		5				3	1	
	8						7	

SUDOKU 2

Niveau moyen

grille 33

			8	7		6		
		2		6				8
			3	8	7	5		1
1						3		2
	5	9						6
5		1				4		
			5		8	1	3	
				2	9			

SUDOKU 2

Niveau moyen

grille 34

7	8	9						
2						8		
3		4			5		9	
8	7		4					
	2	3		1	9		6	
9	1		6				7	4
		2	5	3	1	9		
1	9	7			4		3	
							1	

SUDOKU 2

Niveau moyen

grille 35

					8	5		9
3			2		4	1		
		1		5				2
						3		8
5		8						
4		2	1				9	
	5	3			7			
7				6		2		
	6		4		5			7

Niveau moyen

grille 36

5	6			1				7
4	9	7	8					6
						2		
	8	2			1		3	9
1	4		6	2			5	
9	1				5	3		
	5				6			2
		4		7				

SUDOKU 2

Niveau moyen

grille 37

		6	2	3	5	4	1	
	4	2	1				5	8
		9	7		8		3	
8	9	5						
						9		7
						1		
	6	8				5	7	
1					6			
	2	7			4			1

Niveau moyen

grille 38

9	7							2
	8					3	7	
					1	9		4
	9	1		3				7
				6				
			4				5	
4			3	7		1	2	
8	6	7			2			9
3			5		6			

SUDOKU 2

Niveau moyen

grille 39

9				7			6	8
		1	4					
5				3		4	9	
8		5	7					
3	6						1	
				6			2	9
			3					
	7			2	1		8	
6	5						4	

SUDOKU 2

Niveau moyen

grille 40

		7						6
				9		4	5	
9					4	8		7
8						3		
7								5
3			1	2	7			
		4	6		3	7	8	2
6	7			8			1	
					9	6		3

SUDOKU 2

Niveau moyen

grille 41

							2	
				8	1	9	3	
	5				3	7	8	1
4	9		3	7	5	1		
		7	6	4	2			
5		9	1	2				
	1	4						
	7		9		8	6	1	

SUDOKU 2

Niveau moyen

grille 42

				8	9			5
	9	7			3	4		
6							3	1
3								6
	8			1	6	7	9	3
7				5	4			2
8								
		4				1	8	7
				2			5	

SUDOKU 2

Niveau moyen

grille 43

								3
	1						7	
9	3		2	4		8	1	
7	8	9	6	1			3	2
1	2		7					
						7		
8				9				
		5		6	4	1	8	9
6				7			5	

SUDOKU 2

Niveau moyen

grille 44

	6							
3				9	4	1	2	
	8		1					7
			4				9	1
			5	7				
	7	1				8		4
9		5						
2				8				3
			6	4	9			

SUDOKU 2

Niveau moyen

grille 45

	6	2						3
						1	4	6
7		1	3				9	
					2			4
9	5			7				8
6						3		1
3	7		2	4				
				1	9			2
					8			

Niveau moyen

grille 46

	1		2		5		7	
		4						2
9			3	6		8		
6								
	5		9			4		
	2			3		1	8	
						2		
	3	8	7		1		6	
2				4	8		1	7

grille 47

	4	7		3				5
		9						
5			7				1	
3		4		2				
	9			7	4	1		
	1		9	5				
		8			9	2	6	
		5		8				
	7				6		9	

SUDOKU 2

Niveau moyen

grille 48

1				9				3
	2				4	7		
				1			5	
		1			8			
		8		4		3		5
		7		6	5			8
			9		6	4		
	1	4		3			6	
3				5			8	

SUDOKU 2

Niveau moyen

grille 49

		6		7				8
					9	1	2	
8		7	2					
		1			6	2		
7			3	1			5	
	6		5				3	
		2	9	4				5
1	8				3		6	
							1	

SUDOKU 2

Niveau moyen

grille 50

			5		3		6	9
7						5		
	1	6		9				
		5	4	6		3		7
		4			7			
3			1			9		
	2	1	9					5
			8					
	9				1	8	3	

Niveau difficile

grille 51

		3						
				6				8
	6	9					5	
1				3			4	5
			8	9				3
		6			1		7	
9	5						2	4
	8	7	1	5		9		
		2			7			

Niveau difficile

grille 52

				1				
			9			7	5	6
4	2				7			8
5								
						8	1	
		9			3	4	6	7
		1	2					
	3	2	8		6			
							3	

SUDOKU 2

Niveau difficile

grille 53

				1	8			7
		3					4	
	9	8			3			5
3		4	5	2				6
7	2	9		6				3
	6							
						9		
		2						
9		1	2	7	5	4		

Niveau difficile

grille 54

4	3	6	2					
2				9		3		7
	6	3			9	1		5
9				8				
5			7			9	2	
6					4		7	3
	1			6	7			
8				3				

SUDOKU 2

Niveau difficile

grille 55

3						2		
		4						6
				6		9	8	4
5	9			2				
4			1	9		5		
		7		4	3	1		2
6							7	
			8					5
				1	4	8		

SUDOKU 2

Niveau difficile

grille 56

		7	2	5	8			
	8							
		6	7	4	9	5	1	8
				2	4	1	8	6
1				3		9	2	
			1		6			5
		4						
8				7		2	6	
9				6				

SUDOKU 2

Niveau difficile

grille 57

8	9		3			7		
		1		2				
			4				8	
	5							9
							1	
2	7	3	9	5	1			4
3	8	6				5		2
					8	1	9	
						6	3	

SUDOKU 2

Niveau difficile

grille 58

7				1		6		
				7	9	1	8	2
		3			8			
9			1					
				8	2			
					6		2	4
4	6	7	2				9	
			7		1	2	4	3

SUDOKU 2

Niveau difficile

grille 59

1		4				2		
	6		2	9				
					1	8	5	
		7	3					9
6				4				2
	1			7	8	4		
		1		8				
	8				2	6		
	2				3	7		8

SUDOKU 2

Niveau difficile

grille 60

				7				
5	1	4				7		
			1	5		6	3	
			9	8	5	1		
9		1						
	6			4		9		8
	9		7					5
		3		2				6
	5				4			9

SUDOKU 2

Niveau difficile

grille 61

	7				5	3	8	
				4				
3		1	8				6	
				6	9		1	
8						7		
	1	3		7	8	2		
1	6		9			8	2	
		5						9
				8	4			

SUDOKU 2

Niveau difficile

grille 62

					7			
7	4							6
		9	1	3		2	7	
			4	6				5
		6			2	3		
4	2				3			9
					5		8	1
		8			4		9	
6	3				8			

SUDOKU 2

Niveau difficile

grille 63

		1					2	
			7		8	1		
	6	7			1		5	
9		4				8		
		8		2				7
			1	8	6		9	
1					2		8	
3								
		9	3		4	2		5

SUDOKU 2

Niveau difficile

grille 64

4			7	2				
	6						4	5
1			4				9	
			5			1		8
8	3	5	1	7				
					9			2
	7				8			
	8	9		5		7	3	
				4			8	

SUDOKU 2

Niveau difficile

grille 65

2		9			5			4
4			8				7	
					2			5
9	7	6			1	5		
			5		4		9	
			9			7		
							2	
		4	1	5	9		6	
	8	3						1

Niveau difficile

grille 66

7		3			2			
				3			7	
6				7		2		3
	4		5			9		
		5	9	2		6		
8				6				2
	2			5	1			9
9						8		
	7		2				4	

SUDOKU 2

Niveau difficile

grille 67

		3	6					
			1	7		4		5
9								8
	4		3					6
1		5	9	6	8		4	7
					7		5	3
2		4			3		8	
5				1			9	

SUDOKU 2

Niveau difficile

grille 68

		9			4			
		6				5	4	
4			8		2	9		
		5			7		9	
3								
	1		4	2	3		6	5
7	4	3						
				4		2		8
				7	6	3		

SUDOKU 2

Niveau difficile

grille 69

		7						2
5	9		3	1		4		8
			7					
6					2			9
4				9			5	3
	8		5	3				
		3	2				6	
	6	8			9	3		
					3		8	

Niveau difficile

grille 70

								5
	5		2		9	1		
1	4			5			7	
	6	4	8					
	2		5	1		7		
				3		5		8
	8	6			1			
	1				5	9		4
			9			8		

SUDOKU 2

Niveau difficile

grille 71

	5	9				1		
				5				
	4		2		7		3	5
	9		5		6		8	1
5			7	1				
		2					5	
			4		1	6		
	7	1	8					4
		3				7		

Niveau difficile

grille 72

2		3					9	
				1				
	8		3	7			4	5
							7	
3		2	8		7	6		
	7		1		4		2	
5			7				8	9
					9			
7		8	6					3

grille 73

			4					
	5					9	3	
2	9		5		7			6
5								4
	8	6	7		3	2		
			1		5	7		
	6					8		3
3		5	6			1		
				5	2			

SUDOKU 2

Niveau difficile

grille 74

	2	7	3	4		8	6	
		4		9		2		
7			9		3			
						3		8
5		1		2	4		9	
8					9			1
		6			8	7		2
	4		5					

SUDOKU 2

Niveau difficile

grille 75

7			1				6	
	2			8			7	9
		6	9					
	3		2	1			4	
		5						
8			7	3			9	6
5						6		3
		2		4	1			8
	1				7			

Niveau difficile

grille 76

			5	8		2		
	6	8	1					5
	5							7
6		5		1	3	9		
3			2		7	5		8
1		2	3					9
				5				2
	9				6	1		

grille 77

	1					2		
				5	8			9
6	8			2				1
			8		7			3
7		1		3			4	
		3		1				7
			9		5			4
		7			4	5		6
4	6							

Niveau difficile

grille 78

	7	6			2		8	
		5				7		
			8		7			5
5		9		1			2	8
	6			2	5	9		
					9			
		1			8			
	8	4				3		9
			1	3				6

SUDOKU 2

Niveau difficile

grille 79

1		5		8		2		9
			2			1		
		9			1			
3	7				6			
			5					6
		1		9	3	8		2
2	3				8		5	4
			9		2		8	
	1							

Niveau difficile

grille 80

2		6	8	3			7	9
	8		4					
						3		
8								
	3		2		9	8		
		1	3		7	9	6	
		9		6			8	
	2			7			9	5
	6				2			

Niveau très difficile

grille 81

			6				1	
3			8			7		
	9	4		5		8		
					3	2		
8					5			7
	5	1		8	2			6
7					1		2	
			3	7		4		9
	4	6						

SUDOKU 2

Niveau très difficile

grille 82

		6	7			9	1	
	1				5	3		
8			9					
6			1					7
3						8		
		5	8	2	9		3	
	9	8					2	
		4	6	8				
				9		7		5

SUDOKU 2

Niveau très difficile

grille 83

7				9		6		2
6							5	
		9	6	4				
4			3	5				9
3						2		
		6	2		1			3
	7	8						
9				8		5		1
				3	6		9	

Niveau très difficile

grille 84

7			9	1				
	9	5	7			8	4	2
6	4			2			7	
			6			2		
	1			9	3		8	
4	5		2			9		
3					9			
				6			2	5

SUDOKU 2

Niveau très difficile

grille 85

	9		3			4	5	7
	8	7			1			
					9			
		8	9	6			7	
7						6		
		3	2		8			4
	4	5		3		7	2	9
			8		5			
1								

SUDOKU 2

Niveau très difficile

grille 86

1		4			5			8
			3	4			1	
	9					4		
		3		1			5	
9				6	3			7
		2			7			4
					1			
7				9			6	5
	5	9	2					1

SUDOKU 2

Niveau très difficile

grille 87

				5		9		
		5	3	9			4	
4		9				3		
		6			9	8		7
			6	7	4			
1	7							6
	1						3	
	5		2	6		1		
8					5	7		

Niveau très difficile

grille 88

3				6			7	9
								6
6		9	7	5				
	3				8	9		
	5		6			1		
2			9	3			8	
			8		4	6		
1								4
	6	4	1				9	

SUDOKU 2

Niveau très difficile

grille 89

		6	3	5				
								8
	5					6	2	
5	2		8					
7			2			5		6
			5	9		4	8	
2	7			4			6	
6				8			4	3
				2				7

SUDOKU 2

Niveau très difficile

grille 90

		9	6			8		3
	4				3			
				2		7		
5				6	9	4		
	7		4		2	9		8
	9							
		7					1	
			5		1	2		4
3		1		4				5

SUDOKU 2

Niveau démoniaque

grille 91

8					5	1		9
				8	9		3	
	4	5						
2	3		7				5	
	8		9		3		6	1
				1				
		8						
		6		7		5		
4				2	6	8	1	

Niveau démoniaque

grille 92

		9	6	8		1		
							9	
	3	1		7				2
9	4		7			6		
							8	
	5		8	9	1		3	
	1		3					9
		7	9					
	9			4		2		6

SUDOKU 2

Niveau démoniaque

grille 93

			8	2		1		
3	1							
	5			7			8	6
			6	9			7	
6				4			3	
2	4			5			6	
1						8		
4	9		5			6		
			2		9		4	

Niveau démoniaque

grille 94

8				3		9	6	2
6		2						
			2		8			
		3	9			6	8	
9			3		7	4		
		1	5					
4		8			1			5
		9		5			2	
				9				4

SUDOKU 2

Niveau démoniaque

grille 95

			5	2			4	6
		1						
7		5			4	1		
		6		3	5			
9	3			7		5		
			9			3		4
6								1
		2	8	4				5
		3		5			2	

SUDOKU 2

Niveau démoniaque

■■■■■■

grille 96

		8				2		
1				3				
	4		2		6	8		1
	1	4			3	7	8	9
6				8				
			4		9			
			3					2
	7				1			
	3	2	8				5	7

SUDOKU 2

Niveau démoniaque

grille 97

5				6		3		
1			7					
				4		9	7	
8	2		9		7	6		
					6		8	
3			4					9
				2				
	5				9		3	
	1	6		7	3	4		2

SUDOKU 2

Niveau démoniaque

grille 98

		1						7
			4	5			8	
5					1	2		
							2	
7	8		5				3	9
	3		1	8	9			
9		6		3		8		
		8	6				9	3
			9					6

SUDOKU 2

Niveau démoniaque

grille 99

1	6			2				
		3	4		7		8	
						5		2
3		2		6	5		9	
						3	5	
	5			3	4			
		8	6					
4		6	7				1	
					3	7		6

SUDOKU 2

Niveau démoniaque

■■■■■■■

grille 100

	6							2
9			7					5
		5	3	2			1	
			8	4			7	
	1	4			5		3	
		8			7	5		
		1			4			3
2		9	6	7				
						8		7

SUDOKU 2

Solutions

grille 1

8	5	9	3	1	2	6	7	4
3	4	6	5	8	7	9	1	2
2	1	7	9	6	4	3	8	5
5	8	2	7	3	9	1	4	6
6	3	1	4	2	8	7	5	9
9	7	4	6	5	1	8	2	3
4	6	8	2	7	3	5	9	1
7	9	3	1	4	5	2	6	8
1	2	5	8	9	6	4	3	7

grille 2

2	1	4	9	3	7	6	5	8
5	6	3	4	8	1	7	9	2
7	9	8	5	6	2	3	1	4
8	2	7	1	4	3	9	6	5
4	3	9	2	5	6	8	7	1
6	5	1	8	7	9	4	2	3
3	8	6	7	2	5	1	4	9
1	7	5	3	9	4	2	8	6
9	4	2	6	1	8	5	3	7

grille 3

5	6	4	7	3	9	1	2	8
1	9	7	2	8	4	3	5	6
8	3	2	1	5	6	4	7	9
9	8	1	4	2	7	5	6	3
2	4	6	5	9	3	8	1	7
7	5	3	6	1	8	9	4	2
6	7	8	9	4	5	2	3	1
4	2	9	3	6	1	7	8	5
3	1	5	8	7	2	6	9	4

grille 4

2	9	7	6	1	4	8	3	5
4	1	8	3	9	5	2	6	7
5	6	3	8	7	2	1	9	4
7	8	5	2	3	1	9	4	6
9	4	1	7	6	8	3	5	2
6	3	2	5	4	9	7	1	8
8	2	6	9	5	3	4	7	1
1	7	9	4	2	6	5	8	3
3	5	4	1	8	7	6	2	9

grille 5

2	7	1	5	9	3	4	6	8
5	9	6	2	4	8	7	3	1
4	8	3	6	7	1	9	5	2
8	3	7	4	5	6	2	1	9
9	4	5	8	1	2	3	7	6
1	6	2	9	3	7	8	4	5
3	5	8	7	6	9	1	2	4
6	1	9	3	2	4	5	8	7
7	2	4	1	8	5	6	9	3

grille 6

1	8	7	3	6	4	5	9	2
6	2	5	9	7	8	4	1	3
9	4	3	2	1	5	6	8	7
7	9	8	6	2	1	3	5	4
4	3	6	5	8	9	7	2	1
5	1	2	4	3	7	9	6	8
8	5	9	7	4	2	1	3	6
3	7	1	8	5	6	2	4	9
2	6	4	1	9	3	8	7	5

Solutions

grille 7

6	3	7	9	5	1	4	8	2
4	1	9	2	3	8	5	7	6
2	5	8	4	7	6	9	1	3
7	2	5	3	9	4	1	6	8
3	9	1	8	6	7	2	4	5
8	6	4	5	1	2	7	3	9
5	4	2	1	8	3	6	9	7
9	8	6	7	4	5	3	2	1
1	7	3	6	2	9	8	5	4

grille 8

5	8	6	4	3	1	7	9	2
2	1	9	8	5	7	4	3	6
4	3	7	9	2	6	5	1	8
9	5	8	6	1	3	2	7	4
1	7	3	2	4	8	6	5	9
6	4	2	5	7	9	1	8	3
8	2	5	1	9	4	3	6	7
7	9	1	3	6	2	8	4	5
3	6	4	7	8	5	9	2	1

grille 9

8	6	4	5	7	1	9	3	2
1	2	9	6	3	8	5	4	7
5	7	3	2	9	4	8	6	1
2	3	7	8	4	5	1	9	6
9	4	5	3	1	6	7	2	8
6	1	8	9	2	7	3	5	4
7	5	2	4	8	3	6	1	9
4	8	6	1	5	9	2	7	3
3	9	1	7	6	2	4	8	5

grille 10

1	8	6	3	4	5	2	9	7
9	2	4	7	1	6	5	8	3
3	7	5	9	2	8	4	1	6
2	1	8	5	7	3	9	6	4
5	4	7	6	9	1	3	2	8
6	9	3	2	8	4	7	5	1
4	5	9	8	6	7	1	3	2
8	3	1	4	5	2	6	7	9
7	6	2	1	3	9	8	4	5

grille 11

1	6	9	7	8	4	2	5	3
3	7	4	2	5	1	9	6	8
5	8	2	3	6	9	7	4	1
7	4	8	5	2	6	3	1	9
2	9	3	4	1	7	5	8	6
6	5	1	9	3	8	4	7	2
9	3	6	8	7	5	1	2	4
4	1	5	6	9	2	8	3	7
8	2	7	1	4	3	6	9	5

grille 12

6	7	2	9	3	5	8	1	4
3	9	8	4	1	6	5	2	7
4	5	1	7	8	2	3	9	6
8	2	7	3	5	9	6	4	1
9	4	3	6	2	1	7	5	8
5	1	6	8	4	7	2	3	9
2	6	9	5	7	4	1	8	3
1	8	4	2	6	3	9	7	5
7	3	5	1	9	8	4	6	2

Solutions

grille 13

6	5	8	7	9	1	2	3	4
9	2	1	5	3	4	7	6	8
3	7	4	8	2	6	9	1	5
2	1	3	4	7	8	5	9	6
8	4	5	2	6	9	3	7	1
7	9	6	1	5	3	4	8	2
5	6	2	3	1	7	8	4	9
1	8	7	9	4	5	6	2	3
4	3	9	6	8	2	1	5	7

grille 14

4	2	9	3	5	8	7	1	6
5	7	6	4	1	2	3	8	9
8	1	3	9	7	6	4	5	2
6	8	5	7	9	3	2	4	1
2	3	1	8	4	5	6	9	7
7	9	4	6	2	1	5	3	8
9	5	8	2	3	7	1	6	4
1	6	2	5	8	4	9	7	3
3	4	7	1	6	9	8	2	5

grille 15

2	8	1	4	7	6	9	5	3
5	3	4	2	1	9	6	7	8
7	6	9	5	8	3	2	1	4
6	9	8	7	3	1	4	2	5
4	5	3	6	9	2	7	8	1
1	2	7	8	4	5	3	6	9
9	4	5	1	2	7	8	3	6
3	7	6	9	5	8	1	4	2
8	1	2	3	6	4	5	9	7

grille 16

9	7	2	8	6	3	1	4	5
4	5	6	9	2	1	7	3	8
3	1	8	7	5	4	2	6	9
7	2	3	4	1	8	5	9	6
8	4	5	6	9	2	3	1	7
1	6	9	5	3	7	4	8	2
6	9	7	3	4	5	8	2	1
5	3	1	2	8	6	9	7	4
2	8	4	1	7	9	6	5	3

grille 17

1	6	5	4	7	2	8	3	9
2	9	3	6	8	1	4	7	5
7	8	4	3	5	9	6	2	1
5	7	2	9	1	6	3	4	8
3	1	8	2	4	7	5	9	6
6	4	9	5	3	8	2	1	7
8	5	1	7	2	4	9	6	3
9	2	7	8	6	3	1	5	4
4	3	6	1	9	5	7	8	2

grille 18

6	2	5	1	8	4	3	9	7
3	4	7	9	6	5	8	2	1
1	8	9	7	2	3	4	5	6
2	1	3	8	7	9	5	6	4
9	7	6	4	5	1	2	8	3
4	5	8	6	3	2	1	7	9
5	9	2	3	4	7	6	1	8
7	6	4	5	1	8	9	3	2
8	3	1	2	9	6	7	4	5

SUDOKU 2

Solutions

grille 19

3	6	5	2	7	1	4	9	8
7	9	1	3	8	4	2	5	6
4	2	8	9	6	5	3	7	1
5	1	4	8	9	2	6	3	7
6	8	9	7	1	3	5	2	4
2	7	3	5	4	6	1	8	9
9	4	2	6	3	7	8	1	5
8	5	6	1	2	9	7	4	3
1	3	7	4	5	8	9	6	2

grille 20

7	3	6	2	1	4	5	8	9
2	8	1	5	3	9	4	6	7
9	4	5	7	6	8	1	3	2
6	9	7	4	8	2	3	5	1
3	5	8	1	7	6	2	9	4
4	1	2	9	5	3	8	7	6
1	7	9	3	4	5	6	2	8
8	2	3	6	9	1	7	4	5
5	6	4	8	2	7	9	1	3

grille 21

3	7	9	2	6	1	4	8	5
2	4	5	8	3	9	7	6	1
8	6	1	4	5	7	2	3	9
4	9	3	7	2	5	8	1	6
6	2	8	1	9	4	5	7	3
5	1	7	3	8	6	9	2	4
7	5	2	6	4	3	1	9	8
1	3	4	9	7	8	6	5	2
9	8	6	5	1	2	3	4	7

grille 22

3	7	4	5	1	8	9	6	2
8	2	1	4	9	6	3	5	7
9	6	5	2	7	3	1	8	4
6	4	9	8	3	1	2	7	5
1	5	3	6	2	7	4	9	8
7	8	2	9	5	4	6	3	1
5	9	8	1	6	2	7	4	3
4	1	7	3	8	9	5	2	6
2	3	6	7	4	5	8	1	9

grille 23

1	2	9	4	3	8	5	6	7
8	6	5	9	2	7	1	3	4
7	3	4	6	5	1	9	2	8
3	5	2	7	8	4	6	9	1
4	7	6	1	9	5	2	8	3
9	8	1	2	6	3	4	7	5
2	4	7	8	1	9	3	5	6
5	9	8	3	4	6	7	1	2
6	1	3	5	7	2	8	4	9

grille 24

9	2	5	3	6	8	4	7	1
8	3	7	1	2	4	9	5	6
1	6	4	5	7	9	2	3	8
7	5	9	8	4	6	3	1	2
2	8	6	9	3	1	7	4	5
4	1	3	7	5	2	6	8	9
5	7	8	2	9	3	1	6	4
6	9	1	4	8	7	5	2	3
3	4	2	6	1	5	8	9	7

SUDOKU 2

Solutions

grille 25

9	4	8	5	1	3	7	2	6
2	3	7	6	8	9	1	4	5
6	1	5	4	2	7	3	8	9
4	2	3	8	7	5	9	6	1
1	7	9	2	3	6	4	5	8
8	5	6	1	9	4	2	3	7
7	9	4	3	6	8	5	1	2
5	8	1	9	4	2	6	7	3
3	6	2	7	5	1	8	9	4

grille 26

6	2	4	9	8	7	1	5	3
9	7	1	3	2	5	6	8	4
5	8	3	1	6	4	7	2	9
2	6	7	4	5	9	8	3	1
3	1	8	6	7	2	9	4	5
4	9	5	8	1	3	2	6	7
1	3	2	5	9	6	4	7	8
7	5	9	2	4	8	3	1	6
8	4	6	7	3	1	5	9	2

grille 27

7	1	6	3	5	4	8	9	2
5	4	8	9	6	2	3	7	1
9	3	2	8	1	7	5	6	4
2	9	3	4	8	6	1	5	7
4	7	1	5	2	9	6	8	3
6	8	5	7	3	1	4	2	9
8	5	7	1	9	3	2	4	6
3	2	4	6	7	8	9	1	5
1	6	9	2	4	5	7	3	8

grille 28

3	1	8	9	7	5	6	2	4
5	2	6	4	8	3	7	1	9
9	4	7	1	2	6	3	5	8
6	7	4	5	3	2	8	9	1
2	5	9	7	1	8	4	6	3
1	8	3	6	9	4	2	7	5
4	3	1	2	5	7	9	8	6
8	9	2	3	6	1	5	4	7
7	6	5	8	4	9	1	3	2

grille 29

3	7	5	1	6	9	4	2	8
2	8	9	5	7	4	6	1	3
4	6	1	2	8	3	5	9	7
1	3	8	6	9	2	7	4	5
5	9	6	4	1	7	3	8	2
7	2	4	3	5	8	9	6	1
6	5	3	8	4	1	2	7	9
9	1	2	7	3	6	8	5	4
8	4	7	9	2	5	1	3	6

grille 30

2	3	7	4	1	5	9	8	6
4	5	6	7	8	9	1	3	2
9	8	1	6	3	2	5	7	4
3	9	4	5	7	6	2	1	8
8	6	5	3	2	1	7	4	9
1	7	2	8	9	4	3	6	5
7	2	3	9	6	8	4	5	1
6	4	9	1	5	7	8	2	3
5	1	8	2	4	3	6	9	7

Solutions

grille 31

1	4	8	6	3	5	9	7	2
9	5	3	2	7	1	8	4	6
2	7	6	9	4	8	1	3	5
8	1	4	7	5	6	2	9	3
3	9	5	8	2	4	6	1	7
7	6	2	1	9	3	5	8	4
5	8	7	3	6	9	4	2	1
6	3	1	4	8	2	7	5	9
4	2	9	5	1	7	3	6	8

grille 32

2	1	3	4	7	9	8	6	5
5	4	8	2	3	6	7	9	1
7	9	6	5	8	1	4	3	2
6	2	4	3	9	8	1	5	7
3	7	1	6	5	4	2	8	9
8	5	9	7	1	2	6	4	3
4	3	7	1	6	5	9	2	8
9	6	5	8	2	7	3	1	4
1	8	2	9	4	3	5	7	6

grille 33

9	4	5	8	7	2	6	1	3
7	1	2	4	6	3	9	5	8
8	6	3	9	5	1	2	7	4
6	2	4	3	8	7	5	9	1
1	7	8	6	9	5	3	4	2
3	5	9	2	1	4	7	8	6
5	8	1	7	3	6	4	2	9
2	9	6	5	4	8	1	3	7
4	3	7	1	2	9	8	6	5

grille 34

7	8	9	3	4	2	6	5	1
2	5	1	9	7	6	8	4	3
3	6	4	1	8	5	7	9	2
8	7	6	4	5	3	1	2	9
4	2	3	7	1	9	5	6	8
9	1	5	6	2	8	3	7	4
6	4	2	5	3	1	9	8	7
1	9	7	8	6	4	2	3	5
5	3	8	2	9	7	4	1	6

grille 35

6	2	7	3	1	8	5	4	9
3	9	5	2	7	4	1	8	6
8	4	1	6	5	9	7	3	2
9	1	6	5	4	2	3	7	8
5	3	8	7	9	6	4	2	1
4	7	2	1	8	3	6	9	5
1	5	3	8	2	7	9	6	4
7	8	4	9	6	1	2	5	3
2	6	9	4	3	5	8	1	7

grille 36

8	2	1	5	6	7	9	4	3
5	6	3	9	1	4	8	2	7
4	9	7	8	3	2	5	1	6
3	7	5	4	9	8	2	6	1
6	8	2	7	5	1	4	3	9
1	4	9	6	2	3	7	5	8
9	1	6	2	8	5	3	7	4
7	5	8	3	4	6	1	9	2
2	3	4	1	7	9	6	8	5

SUDOKU 2

Solutions

grille 37

7	8	6	2	3	5	4	1	9
3	4	2	1	6	9	7	5	8
5	1	9	7	4	8	6	3	2
8	9	5	4	1	7	3	2	6
6	3	1	5	8	2	9	4	7
2	7	4	6	9	3	1	8	5
4	6	8	9	2	1	5	7	3
1	5	3	8	7	6	2	9	4
9	2	7	3	5	4	8	6	1

grille 38

9	7	4	6	5	3	8	1	2
1	8	6	9	2	4	3	7	5
2	3	5	7	8	1	9	6	4
6	9	1	2	3	5	4	8	7
5	4	3	8	6	7	2	9	1
7	2	8	4	1	9	6	5	3
4	5	9	3	7	8	1	2	6
8	6	7	1	4	2	5	3	9
3	1	2	5	9	6	7	4	8

grille 39

9	3	4	2	7	5	1	6	8
7	8	1	4	9	6	3	5	2
5	2	6	1	3	8	4	9	7
8	9	5	7	1	2	6	3	4
3	6	2	8	4	9	7	1	5
1	4	7	5	6	3	8	2	9
2	1	8	3	5	4	9	7	6
4	7	9	6	2	1	5	8	3
6	5	3	9	8	7	2	4	1

grille 40

4	5	7	8	3	1	2	9	6
2	3	8	7	9	6	4	5	1
9	1	6	2	5	4	8	3	7
8	2	1	9	6	5	3	7	4
7	6	9	3	4	8	1	2	5
3	4	5	1	2	7	9	6	8
5	9	4	6	1	3	7	8	2
6	7	3	4	8	2	5	1	9
1	8	2	5	7	9	6	4	3

grille 41

3	8	1	5	9	7	4	2	6
7	4	6	2	8	1	9	3	5
9	5	2	4	6	3	7	8	1
4	9	8	3	7	5	1	6	2
6	2	5	8	1	9	3	4	7
1	3	7	6	4	2	5	9	8
5	6	9	1	2	4	8	7	3
8	1	4	7	3	6	2	5	9
2	7	3	9	5	8	6	1	4

grille 42

2	3	1	4	8	9	6	7	5
5	9	7	1	6	3	4	2	8
6	4	8	5	7	2	9	3	1
3	1	2	8	9	7	5	4	6
4	8	5	2	1	6	7	9	3
7	6	9	3	5	4	8	1	2
8	5	3	7	4	1	2	6	9
9	2	4	6	3	5	1	8	7
1	7	6	9	2	8	3	5	4

Solutions

grille 43

5	6	2	1	8	7	9	4	3
4	1	8	9	5	3	2	7	6
9	3	7	2	4	6	8	1	5
7	8	9	6	1	5	4	3	2
1	2	4	7	3	9	5	6	8
3	5	6	4	2	8	7	9	1
8	4	3	5	9	1	6	2	7
2	7	5	3	6	4	1	8	9
6	9	1	8	7	2	3	5	4

grille 44

1	6	2	3	5	7	4	8	9
3	5	7	8	9	4	1	2	6
4	8	9	1	2	6	5	3	7
5	2	3	4	6	8	7	9	1
8	9	4	5	7	1	3	6	2
6	7	1	9	3	2	8	5	4
9	4	5	2	1	3	6	7	8
2	1	6	7	8	5	9	4	3
7	3	8	6	4	9	2	1	5

grille 45

4	6	2	9	5	1	7	8	3
5	9	3	8	2	7	1	4	6
7	8	1	3	6	4	2	9	5
1	3	7	6	8	2	9	5	4
9	5	4	1	7	3	6	2	8
6	2	8	4	9	5	3	7	1
3	7	5	2	4	6	8	1	9
8	4	6	7	1	9	5	3	2
2	1	9	5	3	8	4	6	7

grille 46

3	1	6	2	8	5	9	7	4
5	8	4	1	7	9	6	3	2
9	7	2	3	6	4	8	5	1
6	4	1	8	5	2	7	9	3
8	5	3	9	1	7	4	2	6
7	2	9	4	3	6	1	8	5
1	6	7	5	9	3	2	4	8
4	3	8	7	2	1	5	6	9
2	9	5	6	4	8	3	1	7

grille 47

6	4	7	1	3	2	9	8	5
1	8	9	4	6	5	7	3	2
5	2	3	7	9	8	4	1	6
3	5	4	8	2	1	6	7	9
8	9	2	6	7	4	1	5	3
7	1	6	9	5	3	8	2	4
4	3	8	5	1	9	2	6	7
9	6	5	2	8	7	3	4	1
2	7	1	3	4	6	5	9	8

grille 48

1	8	5	6	9	7	2	4	3
6	2	3	5	8	4	7	1	9
7	4	9	2	1	3	8	5	6
5	3	1	7	2	8	6	9	4
2	6	8	1	4	9	3	7	5
4	9	7	3	6	5	1	2	8
8	5	2	9	7	6	4	3	1
9	1	4	8	3	2	5	6	7
3	7	6	4	5	1	9	8	2

grille 49

9	2	6	1	7	5	3	4	8
5	4	3	8	6	9	1	2	7
8	1	7	2	3	4	5	9	6
3	5	1	4	8	6	2	7	9
7	9	8	3	1	2	6	5	4
2	6	4	5	9	7	8	3	1
6	3	2	9	4	1	7	8	5
1	8	9	7	5	3	4	6	2
4	7	5	6	2	8	9	1	3

grille 50

2	4	8	5	1	3	7	6	9
7	3	9	6	4	8	5	1	2
5	1	6	7	9	2	4	8	3
1	8	5	4	6	9	3	2	7
9	6	4	3	2	7	1	5	8
3	7	2	1	8	5	9	4	6
8	2	1	9	3	4	6	7	5
4	5	3	8	7	6	2	9	1
6	9	7	2	5	1	8	3	4

grille 51

8	1	3	4	7	5	6	9	2
5	7	4	2	6	9	3	1	8
2	6	9	3	1	8	4	5	7
1	9	8	7	3	6	2	4	5
7	2	5	8	9	4	1	6	3
3	4	6	5	2	1	8	7	9
9	5	1	6	8	3	7	2	4
4	8	7	1	5	2	9	3	6
6	3	2	9	4	7	5	8	1

grille 52

7	9	5	6	1	8	2	4	3
1	8	3	9	2	4	7	5	6
4	2	6	3	5	7	1	9	8
5	4	8	7	6	1	3	2	9
3	6	7	4	9	2	8	1	5
2	1	9	5	8	3	4	6	7
6	7	1	2	3	5	9	8	4
9	3	2	8	4	6	5	7	1
8	5	4	1	7	9	6	3	2

grille 53

5	4	6	9	1	8	3	2	7
1	7	3	6	5	2	8	4	9
2	9	8	7	4	3	6	1	5
3	1	4	5	2	9	7	8	6
7	2	9	8	6	4	1	5	3
8	6	5	1	3	7	2	9	4
6	5	7	4	8	1	9	3	2
4	8	2	3	9	6	5	7	1
9	3	1	2	7	5	4	6	8

grille 54

4	3	6	2	7	8	5	1	9
1	7	9	3	4	5	2	6	8
2	5	8	6	9	1	3	4	7
7	6	3	4	2	9	1	8	5
9	2	1	5	8	6	7	3	4
5	8	4	7	1	3	9	2	6
6	9	2	1	5	4	8	7	3
3	1	5	8	6	7	4	9	2
8	4	7	9	3	2	6	5	1

Solutions

grille 55

3	8	6	4	7	9	2	5	1
9	5	4	2	8	1	7	3	6
1	7	2	3	6	5	9	8	4
5	9	1	7	2	6	3	4	8
4	2	3	1	9	8	5	6	7
8	6	7	5	4	3	1	9	2
6	1	8	9	5	2	4	7	3
2	4	9	8	3	7	6	1	5
7	3	5	6	1	4	8	2	9

grille 56

4	1	7	2	5	8	6	9	3
5	8	9	6	1	3	4	7	2
3	2	6	7	4	9	5	1	8
7	9	3	5	2	4	1	8	6
1	6	5	8	3	7	9	2	4
2	4	8	1	9	6	7	3	5
6	7	4	9	8	2	3	5	1
8	3	1	4	7	5	2	6	9
9	5	2	3	6	1	8	4	7

grille 57

8	9	4	3	1	5	7	2	6
7	6	1	8	2	9	4	5	3
5	3	2	4	7	6	9	8	1
1	5	8	2	6	4	3	7	9
6	4	9	7	8	3	2	1	5
2	7	3	9	5	1	8	6	4
3	8	6	1	9	7	5	4	2
4	2	5	6	3	8	1	9	7
9	1	7	5	4	2	6	3	8

grille 58

7	8	2	4	1	5	6	3	9
6	4	5	3	7	9	1	8	2
1	9	3	6	2	8	4	7	5
9	2	6	1	4	7	3	5	8
3	7	4	5	8	2	9	1	6
5	1	8	9	3	6	7	2	4
2	3	1	8	9	4	5	6	7
4	6	7	2	5	3	8	9	1
8	5	9	7	6	1	2	4	3

grille 59

1	7	4	8	3	5	2	9	6
8	6	5	2	9	4	3	1	7
2	9	3	7	6	1	8	5	4
4	5	7	3	2	6	1	8	9
6	3	8	1	4	9	5	7	2
9	1	2	5	7	8	4	6	3
3	4	1	6	8	7	9	2	5
7	8	9	4	5	2	6	3	1
5	2	6	9	1	3	7	4	8

grille 60

3	2	6	4	7	8	5	9	1
5	1	4	6	9	3	7	8	2
8	7	9	1	5	2	6	3	4
4	3	2	9	8	5	1	6	7
9	8	1	2	6	7	4	5	3
7	6	5	3	4	1	9	2	8
2	9	8	7	1	6	3	4	5
1	4	3	5	2	9	8	7	6
6	5	7	8	3	4	2	1	9

SUDOKU 2

Solutions

grille 61

4	7	9	6	1	5	3	8	2
6	2	8	7	4	3	9	5	1
3	5	1	8	9	2	4	6	7
2	4	7	3	6	9	5	1	8
8	9	6	5	2	1	7	3	4
5	1	3	4	7	8	2	9	6
1	6	4	9	5	7	8	2	3
7	8	5	2	3	6	1	4	9
9	3	2	1	8	4	6	7	5

grille 62

1	6	2	5	4	7	9	3	8
7	4	3	2	8	9	5	1	6
5	8	9	1	3	6	2	7	4
3	9	7	4	6	1	8	2	5
8	1	6	9	5	2	3	4	7
4	2	5	8	7	3	1	6	9
9	7	4	3	2	5	6	8	1
2	5	8	6	1	4	7	9	3
6	3	1	7	9	8	4	5	2

grille 63

4	9	1	6	5	3	7	2	8
2	3	5	7	9	8	1	4	6
8	6	7	2	4	1	9	5	3
9	2	4	5	3	7	8	6	1
6	1	8	4	2	9	5	3	7
5	7	3	1	8	6	4	9	2
1	5	6	9	7	2	3	8	4
3	4	2	8	1	5	6	7	9
7	8	9	3	6	4	2	1	5

grille 64

4	9	8	7	2	5	6	1	3
2	6	7	9	1	3	8	4	5
1	5	3	4	8	6	2	9	7
9	2	6	5	3	4	1	7	8
8	3	5	1	7	2	4	6	9
7	4	1	8	6	9	3	5	2
3	7	4	6	9	8	5	2	1
6	8	9	2	5	1	7	3	4
5	1	2	3	4	7	9	8	6

grille 65

2	3	9	7	1	5	6	8	4
4	5	1	8	6	3	2	7	9
8	6	7	4	9	2	1	3	5
9	7	6	1	8	1	5	4	2
3	1	2	5	7	4	8	9	6
5	4	8	9	2	6	7	1	3
1	9	5	6	3	8	4	2	7
7	2	4	1	5	9	3	6	8
6	8	3	2	4	7	9	5	1

grille 66

7	5	3	1	8	2	4	9	6
4	1	2	6	3	9	5	7	8
6	8	9	4	7	5	2	1	3
2	4	6	5	1	8	9	3	7
1	3	5	9	2	7	6	8	4
8	9	7	3	6	4	1	5	2
3	2	4	8	5	1	7	6	9
9	6	1	7	4	3	8	2	5
5	7	8	2	9	6	3	4	1

Solutions

grille 67

4	1	3	6	8	5	9	7	2
8	6	2	1	7	9	4	3	5
9	5	7	4	3	2	1	6	8
7	4	9	3	5	1	8	2	6
3	8	6	7	2	4	5	1	9
1	2	5	9	6	8	3	4	7
6	9	1	8	4	7	2	5	3
2	7	4	5	9	3	6	8	1
5	3	8	2	1	6	7	9	4

grille 68

1	3	9	7	5	4	8	2	6
2	8	6	9	3	1	5	4	7
4	5	7	8	6	2	9	3	1
6	2	5	1	8	7	4	9	3
3	7	4	6	9	5	1	8	2
9	1	8	4	2	3	7	6	5
7	4	3	2	1	8	6	5	9
5	6	1	3	4	9	2	7	8
8	9	2	5	7	6	3	1	4

grille 69

8	1	7	9	5	4	6	3	2
5	9	2	3	1	6	4	7	8
3	4	6	7	2	8	5	9	1
6	3	5	8	4	2	7	1	9
4	2	1	6	9	7	8	5	3
7	8	9	5	3	1	2	4	6
9	7	3	2	8	5	1	6	4
1	6	8	4	7	9	3	2	5
2	5	4	1	6	3	9	8	7

grille 70

8	3	9	1	7	6	4	2	5
6	5	7	2	4	9	1	8	3
1	4	2	3	5	8	6	7	9
5	6	4	8	9	7	2	3	1
3	2	8	5	1	4	7	9	6
7	9	1	6	3	2	5	4	8
9	8	6	4	2	1	3	5	7
2	1	3	7	8	5	9	6	4
4	7	5	9	6	3	8	1	2

grille 71

7	5	9	6	3	8	1	4	2
2	3	8	1	5	4	9	7	6
1	4	6	2	9	7	8	3	5
3	9	7	5	4	6	2	8	1
5	8	4	7	1	2	3	6	9
6	1	2	3	8	9	4	5	7
8	2	5	4	7	1	6	9	3
9	7	1	8	6	3	5	2	4
4	6	3	9	2	5	7	1	8

grille 72

2	1	3	4	5	8	7	9	6
4	5	7	9	1	6	8	3	2
6	8	9	3	7	2	1	4	5
8	6	1	5	2	3	9	7	4
3	4	2	8	9	7	6	5	1
9	7	5	1	6	4	3	2	8
5	2	6	7	3	1	4	8	9
1	3	4	2	8	9	5	6	7
7	9	8	6	4	5	2	1	3

grille 73

6	3	8	4	1	9	5	7	2
7	5	4	2	6	8	9	3	1
2	9	1	5	3	7	4	8	6
5	2	7	8	9	6	3	1	4
1	8	6	7	4	3	2	9	5
9	4	3	1	2	5	7	6	8
4	6	2	9	7	1	8	5	3
3	7	5	6	8	4	1	2	9
8	1	9	3	5	2	6	4	7

grille 74

6	5	9	7	8	2	1	4	3
1	2	7	3	4	5	8	6	9
3	8	4	1	9	6	2	7	5
7	6	8	9	1	3	5	2	4
4	9	2	6	5	7	3	1	8
5	3	1	8	2	4	6	9	7
8	7	5	2	6	9	4	3	1
9	1	6	4	3	8	7	5	2
2	4	3	5	7	1	9	8	6

grille 75

7	8	9	1	5	3	4	6	2
1	2	3	6	8	4	5	7	9
4	5	6	9	7	2	3	8	1
9	3	7	2	1	6	8	4	5
2	6	5	4	9	8	1	3	7
8	4	1	7	3	5	2	9	6
5	7	4	8	2	9	6	1	3
6	9	2	3	4	1	7	5	8
3	1	8	5	6	7	9	2	4

grille 76

7	1	3	5	8	4	2	9	6
2	6	8	1	7	9	4	3	5
4	5	9	6	3	2	8	1	7
6	2	5	8	1	3	9	7	4
9	8	7	4	6	5	3	2	1
3	4	1	2	9	7	5	6	8
1	7	2	3	4	8	6	5	9
8	3	6	9	5	1	7	4	2
5	9	4	7	2	6	1	8	3

grille 77

5	1	4	7	9	6	2	3	8
3	7	2	1	5	8	4	6	9
6	8	9	4	2	3	7	5	1
2	5	6	8	4	7	1	9	3
7	9	1	6	3	2	8	4	5
8	4	3	5	1	9	6	2	7
1	2	8	9	6	5	3	7	4
9	3	7	2	8	4	5	1	6
4	6	5	3	7	1	9	8	2

grille 78

4	7	6	5	9	2	1	8	3
8	9	5	3	4	1	7	6	2
2	1	3	8	6	7	4	9	5
5	4	9	7	1	3	6	2	8
1	6	8	4	2	5	9	3	7
3	2	7	6	8	9	5	4	1
6	3	1	9	7	8	2	5	4
7	8	4	2	5	6	3	1	9
9	5	2	1	3	4	8	7	6

Solutions

grille 79

1	6	5	7	8	4	2	3	9
4	8	3	2	5	9	1	6	7
7	2	9	3	6	1	5	4	8
3	7	2	8	1	6	4	9	5
8	9	4	5	2	7	3	1	6
6	5	1	4	9	3	8	7	2
2	3	6	1	7	8	9	5	4
5	4	7	9	3	2	6	8	1
9	1	8	6	4	5	7	2	3

grille 80

2	1	6	8	3	5	4	7	9
7	8	3	4	9	1	5	2	6
9	4	5	7	2	6	3	1	8
8	9	2	6	1	4	7	5	3
6	3	7	2	5	9	8	4	1
4	5	1	3	8	7	9	6	2
1	7	9	5	6	3	2	8	4
3	2	4	1	7	8	6	9	5
5	6	8	9	4	2	1	3	7

grille 81

2	8	7	6	3	9	5	1	4
3	6	5	8	1	4	7	9	2
1	9	4	2	5	7	8	6	3
6	7	9	1	4	3	2	5	8
8	2	3	9	6	5	1	4	7
4	5	1	7	8	2	9	3	6
7	3	8	4	9	1	6	2	5
5	1	2	3	7	6	4	8	9
9	4	6	5	2	8	3	7	1

grille 82

5	4	6	7	3	8	9	1	2
9	1	2	4	6	5	3	7	8
8	3	7	9	1	2	5	6	4
6	8	9	1	4	3	2	5	7
3	2	1	5	7	6	8	4	9
4	7	5	8	2	9	6	3	1
7	9	8	3	5	1	4	2	6
2	5	4	6	8	7	1	9	3
1	6	3	2	9	4	7	8	5

grille 83

7	1	4	5	9	3	6	8	2
6	3	2	8	1	7	9	5	4
8	5	9	6	4	2	3	1	7
4	2	7	3	5	8	1	6	9
3	8	1	4	6	9	2	7	5
5	9	6	2	7	1	8	4	3
1	7	8	9	2	5	4	3	6
9	6	3	7	8	4	5	2	1
2	4	5	1	3	6	7	9	8

grille 84

7	2	4	9	1	8	6	5	3
8	6	3	5	4	2	1	9	7
1	9	5	7	3	6	8	4	2
6	4	8	1	2	5	3	7	9
5	3	9	6	8	7	2	1	4
2	1	7	4	9	3	5	8	6
4	5	6	2	7	1	9	3	8
3	7	2	8	5	9	4	6	1
9	8	1	3	6	4	7	2	5

SUDOKU 2

Solutions

grille 85

6	9	1	3	8	2	4	5	7
4	8	7	6	5	1	9	3	2
3	5	2	7	4	9	1	8	6
5	1	8	9	6	4	2	7	3
7	2	4	5	1	3	6	9	8
9	6	3	2	7	8	5	1	4
8	4	5	1	3	6	7	2	9
2	7	6	8	9	5	3	4	1
1	3	9	4	2	7	8	6	5

grille 86

1	2	4	6	7	5	3	9	8
8	6	7	3	4	9	5	1	2
3	9	5	1	2	8	4	7	6
6	7	3	4	1	2	8	5	9
9	4	8	5	6	3	1	2	7
5	1	2	9	8	7	6	3	4
2	8	6	7	5	1	9	4	3
7	3	1	8	9	4	2	6	5
4	5	9	2	3	6	7	8	1

grille 87

3	2	1	4	5	6	9	7	8
7	8	5	3	9	2	6	4	1
4	6	9	7	8	1	3	2	5
2	4	6	1	3	9	8	5	7
5	9	8	6	7	4	2	1	3
1	7	3	5	2	8	4	9	6
6	1	2	8	4	7	5	3	9
9	5	7	2	6	3	1	8	4
8	3	4	9	1	5	7	6	2

grille 88

3	8	2	4	6	1	5	7	9
5	7	1	2	8	9	3	4	6
6	4	9	7	5	3	2	1	8
4	3	7	5	1	8	9	6	2
9	5	8	6	4	2	1	3	7
2	1	6	9	3	7	4	8	5
7	2	3	8	9	4	6	5	1
1	9	5	3	7	6	8	2	4
8	6	4	1	2	5	7	9	3

grille 89

8	4	6	3	5	2	1	7	9
9	1	2	4	7	6	3	5	8
3	5	7	9	1	8	6	2	4
5	2	9	8	6	4	7	3	1
7	8	4	2	3	1	5	9	6
1	6	3	5	9	7	4	8	2
2	7	8	1	4	3	9	6	5
6	9	1	7	8	5	2	4	3
4	3	5	6	2	9	8	1	7

grille 90

2	1	9	6	7	5	8	4	3
7	4	6	8	9	3	1	5	2
8	3	5	1	2	4	7	9	6
5	8	2	7	6	9	4	3	1
1	7	3	4	5	2	9	6	8
6	9	4	3	1	8	5	2	7
4	5	7	2	8	6	3	1	9
9	6	8	5	3	1	2	7	4
3	2	1	9	4	7	6	8	5

Solutions

grille 91

8	6	3	2	4	5	1	7	9
1	7	2	6	8	9	4	3	5
9	4	5	1	3	7	6	2	8
2	3	1	7	6	8	9	5	4
7	8	4	9	5	3	2	6	1
6	5	9	4	1	2	3	8	7
5	2	8	3	9	1	7	4	6
3	1	6	8	7	4	5	9	2
4	9	7	5	2	6	8	1	3

grille 92

5	2	9	6	8	3	1	4	7
7	6	4	5	1	2	3	9	8
8	3	1	4	7	9	5	6	2
9	4	8	7	3	5	6	2	1
1	7	3	2	6	4	9	8	5
6	5	2	8	9	1	7	3	4
4	1	6	3	2	7	8	5	9
2	8	7	9	5	6	4	1	3
3	9	5	1	4	8	2	7	6

grille 93

7	6	4	8	2	3	1	5	9
3	1	8	9	6	5	7	2	4
9	5	2	1	7	4	3	8	6
5	3	1	6	9	2	4	7	8
6	8	9	7	4	1	2	3	5
2	4	7	3	5	8	9	6	1
1	2	5	4	3	6	8	9	7
4	9	3	5	8	7	6	1	2
8	7	6	2	1	9	5	4	3

grille 94

8	1	4	7	3	5	9	6	2
6	3	2	1	4	9	5	7	8
5	9	7	2	6	8	1	4	3
2	5	3	9	1	4	6	8	7
9	8	6	3	2	7	4	5	1
7	4	1	5	8	6	2	3	9
4	2	8	6	7	1	3	9	5
1	7	9	4	5	3	8	2	6
3	6	5	8	9	2	7	1	4

grille 95

3	8	9	5	2	1	7	4	6
4	6	1	7	8	9	2	5	3
7	2	5	3	6	4	1	9	8
2	1	6	4	3	5	8	7	9
9	3	4	6	7	8	5	1	2
5	7	8	9	1	2	3	6	4
6	5	7	2	9	3	4	8	1
1	9	2	8	4	7	6	3	5
8	4	3	1	5	6	9	2	7

grille 96

3	6	8	1	4	7	2	9	5
1	2	9	5	3	8	4	7	6
7	4	5	2	9	6	8	3	1
2	1	4	6	5	3	7	8	9
6	9	3	7	8	2	5	1	4
8	5	7	4	1	9	6	2	3
4	8	1	3	7	5	9	6	2
5	7	6	9	2	1	3	4	8
9	3	2	8	6	4	1	5	7

SUDOKU 2

Solutions

grille 97

5	7	9	1	6	2	3	4	8
1	4	3	7	9	8	2	6	5
6	8	2	3	4	5	9	7	1
8	2	5	9	3	7	6	1	4
4	9	1	2	5	6	7	8	3
3	6	7	4	8	1	5	2	9
7	3	8	5	2	4	1	9	6
2	5	4	6	1	9	8	3	7
9	1	6	8	7	3	4	5	2

grille 98

8	4	1	2	6	3	9	5	7
2	6	9	4	5	7	3	8	1
5	7	3	8	9	1	2	6	4
1	9	5	3	7	4	6	2	8
7	8	4	5	2	6	1	3	9
6	3	2	1	8	9	4	7	5
9	1	6	7	3	5	8	4	2
4	5	8	6	1	2	7	9	3
3	2	7	9	4	8	5	1	6

grille 99

1	6	7	5	2	8	4	3	9
5	2	3	4	9	7	6	8	1
9	8	4	3	1	6	5	7	2
3	7	2	8	6	5	1	9	4
6	4	1	2	7	9	3	5	8
8	5	9	1	3	4	2	6	7
7	3	8	6	4	1	9	2	5
4	9	6	7	5	2	8	1	3
2	1	5	9	8	3	7	4	6

grille 100

1	6	7	4	5	9	3	8	2
9	2	3	7	8	1	4	6	5
4	8	5	3	2	6	7	1	9
6	5	2	8	4	3	9	7	1
7	1	4	9	6	5	2	3	8
3	9	8	2	1	7	5	4	6
8	7	1	5	9	4	6	2	3
2	3	9	6	7	8	1	5	4
5	4	6	1	3	2	8	9	7

Achevé d'imprimer au Canada
sur les presses des Imprimeries Transcontinental Inc.